Les Trois Boucs Bourru

Il était une fois, trois frères boucs nommés Bourru. Ils habitaient dans un magnifique champ ensoleillé, au milieu duquel coulait un torrent.

Un jour, Grand Bouc Bourru eut une idée :

— Ce serait bien de traverser le torrent et d'aller brouter l'herbe sur l'autre rive, proposa-t-il.

Ses frères n'étaient toutefois pas de son avis.

— Oh non ! répondit Petit Bouc Bourru. C'est dangereux.
Nous ne pouvons pas traverser le torrent, car il est trop rapide et profond.
Nous risquerions de nous noyer !

— Il y a bien le pont, ajouta Moyen Bouc Bourru, mais un horrible
troll vit en dessous, et il adore manger les boucs.

Grand Bouc répondit :

— Le troll ne me fait pas peur ! Qu'il essaie de me manger pour voir, je lui montrerai qui est le plus fort !

— Mais nous avons peur, nous ! dirent ses frères en chœur. Et nous ne serons même pas là pour te voir remporter le combat, car le troll nous aura déjà mangés ! Tu es bien plus fort que nous.

— C'est tout un défi! dit Grand Bouc. Si nous souhaitons franchir le pont, nous aurons besoin d'un bon plan! Unissons nos têtes de bouc pour trouver une solution!

Les trois frères se mirent à réfléchir et trouvèrent une façon de se rendre de l'autre côté en toute sécurité.

Lorsqu'ils furent prêts à mettre leur plan à exécution, les trois boucs traversèrent la vallée sur la pointe des pattes et s'approchèrent du pont, en prenant bien soin de ne pas être repérés par le troll.

Puis, Petit Bouc prit son courage à deux pattes, et se dirigea seul vers le pont. *Clic-clac, clic-clac,* firent ses sabots au contact du sol.

Soudain, une énorme tête poilue aux yeux globuleux surgit de sous le pont. C'était le méchant troll !

— Qui est là ? grogna la bête. Qui ose traverser mon pont ?

— Ce n'est que moi, le cadet des trois frères Bourru, répondit Petit Bouc d'une voix faible. Je n'ai que la peau sur les os, alors j'aimerais manger l'herbe sur l'autre rive pour devenir plus dodu.

Le troll grimpa sur la rambarde du pont et hurla :

— Puisque c'est ainsi, je vais te manger !

— Me m-m-manger ? balbutia Petit Bouc. Je n'en vaux pas la peine !
Laissez-moi passer, je serai alors plus gros à mon retour. Mon frère,
Moyen Bouc, va bientôt arriver. Il est bien plus gras que moi !
Vous pourriez le manger à ma place !

Le troll réfléchit à la proposition, puis il accepta.

— D'accord, va-t'en ! hurla-t-il. Et ne reviens pas avant d'être assez gros et appétissant !

Le plan des trois frères se déroula comme prévu. Petit Bouc courut donc vers l'autre rive aussi vite que ses sabots le lui permirent.

C'était maintenant au tour de Moyen Bouc de franchir le pont. *Cataclop, cataclop…*

— Qui est là ? gronda le troll affamé en se léchant les lèvres, espérant que ce soit le frère de Petit Bouc. Qui ose traverser mon pont ?

— C'est moi, répondit Moyen Bouc avec assurance.

— Eh bien ! dit le troll en émergeant de sous le pont, les bras dans les airs. Je vais te manger !

Moyen Bouc garda son calme :

— Me manger ? Pourquoi feriez-vous ça ? Je n'ai que la chair sur les os, je n'ai rien mangé de l'hiver. En fait, mes os resteraient coincés dans votre gorge ! Vous devriez me laisser passer pour me permettre de prendre du poids.

Puis il poursuivit :

— Mon grand frère va bientôt arriver. Il est bien plus grand que moi, et vous en auriez pour votre faim !

Le troll réfléchit à la proposition, et accepta. Il cria :

— Va-t'en ! Et ne reviens pas avant d'être assez gros et appétissant !

Puis il retourna se réfugier sous le pont.

Moyen Bouc alla rejoindre son frère dans le champ. De leur position, ils pouvaient apercevoir le pont et guetter l'arrivée de Grand Bouc.

16

Grand Bouc franchit le pont à son tour. *Tacatac, tacatac, tacatac !* Le méchant troll affamé, peu rusé, rugit aussitôt :

— Qui est là ? Qui ose traverser mon pont ?

Puis il sauta sur le pont d'un seul bond !

Grand Bouc et le terrible troll se trouvèrent nez à nez sur le pont, et se défièrent du regard. Grand Bouc plissa les yeux et répondit de sa puissante voix :

— C'est moi, Grand Bouc Bourru !

Puis, il baissa la tête et pointa ses cornes vers le troll. Il prit son élan et chargea son adversaire !

Boum ! Grand Bouc fonça sur le troll de toutes ses forces ! À sa grande surprise, le troll fut éjecté du pont et projeté dans les airs !

Après avoir effectué quelques vrilles dans les airs, le troll plongea dans le profond torrent avec un grand plouf !

Tandis que le courant l'emportait, le troll grogna et maudit
le jour où il avait laissé les trois boucs Bourru mettre les sabots sur
son pont. On ne revit plus jamais le grand méchant troll.

Petit Bouc et Moyen Bouc acclamèrent leur grand frère tandis qu'il traversait le pont d'un air triomphant.

Grâce à leur courage, à leur collaboration et à leur plan, les trois boucs Bourru réussirent non seulement à franchir le pont du troll, mais à s'en débarrasser une bonne fois pour toutes !

Les boucs passèrent tout l'été à brouter l'herbe et les pissenlits dans les champs situés des deux côtés du pont. Ils pouvaient maintenant aller et venir à leur guise, et devinrent bien dodus !

Clic-clac, cataclop, tacatac ! Hourra pour les trois boucs Bourru !